El Zócalo

Lom
PALABRA DE LA LENGUA
YÁMANA QUE SIGNIFICA
Sol

Rosenmann-Taub, David
El Zócalo: Cortejo y Epinicio I [texto impreso] / David
Rosenmann-Taub.– 2ª ed.– Santiago: LOM Ediciones;
2013. 168 p.: Vol. I; 21x16 cm. (Colección Entremares)
    ISBN : 978-956-00-0420-8
    ISBN : 978-956-00-0419-2 obra completa.

1. Poesías Chilenas I. Título. II. Serie.
    DEWEY : Ch861 .-- cdd 21
    CUTTER : R814z

    FUENTE: Agencia Catalográfica Chilena

© **LOM** EDICIONES
Segunda edición, 2013, *El Zócalo. Cortejo y Epinicio I*
Primera edición 2002, como *Cortejo y Epinicio*
ISBN: 978-956-00-0420-8
RPI: 226.800

Motivo de portada: David Rosenmann-Taub

DISEÑO, EDICIÓN Y COMPOSICIÓN
LOM ediciones. Concha y Toro 23, Santiago
TELÉFONO: (56-2) 688 52 73 | FAX: (56-2) 696 63 88
lom@lom.cl | *www.lom.cl*

Tipografía: *Karmina*

IMPRESO EN LOS TALLERES DE LOM
Miguel de Atero 2888, Quinta Normal

Impreso en Santiago de Chile

DAVID ROSENMANN-TAUB

CORTEJO Y EPINICIO I
El Zócalo

COLECCION ENTRE MARES

LOM
EDICIONES

PRELIMINARES

NAÍN NÓMEZ
Universidad de Santiago de Chile

Acerca del título del primer volumen de la tetralogía *Cortejo y Epinicio*

Dentro de la trayectoria poética de David Rosenmann-Taub, la tetralogía *Cortejo y Epinicio* es una obra que el poeta ha escrito a lo largo de su vida. El primer libro de los cuatro apareció en 1949 con el título de *Cortejo y Epinicio*, editado por la prestigiosa editorial Cruz del Sur, tomando el nombre de la tetralogía completa, lo que se ha prestado a confusión. Cuando David Rosenmann-Taub concibió la tetralogía, el primer volumen se denominaba *El Zócalo*, y la tetralogía, *Cortejo y Epinicio*. Hasta hoy han sido publicados tres de los cuatro volúmenes. Además de *El Zócalo*, han aparecido *El Mensajero* (2003) y *La Opción* (2011). Se completa ahora con el cuarto volumen: *La Noche Antes*.

El legendario editor de Cruz del Sur, Arturo Soria, razonó con el poeta de veintidós años: «Publicar el primer libro de un autor desconocido como volumen I no es la mejor manera de darlo a conocer.» Sugirió, para el libro, el título de la tetralogía; el poeta estuvo de acuerdo. Como recibió gran acogida de la crítica y pasó a ser un clásico de la obra de David Rosenmann-Taub, el título se mantuvo durante las siguientes ediciones: la de 1978 (Esteoste, Buenos Aires) y la de 2002 (Lom Ediciones, Chile). Corresponde restituirle su nombre al primer volumen.

En esta edición se ha conservado el prólogo de María Nieves Alonso (2002): cuando ella menciona *Cortejo y Epinicio*, léase *El Zócalo*.

Acerca del título de la tetralogía

Cortejo: el poeta corteja la realidad para que se abra a él.

Cortejo: procesión de elementos de la naturaleza y del ser humano.

Cortejo de bodas con la realidad.

Cortejo funeral: homenaje a la condición de existir, que implica desaparecer.

Epinicio: la victoria de asumir este final fracaso.

Los términos *cortejo* y *epinicio* están, además, pensados como verbos en primera persona: yo cortejo – yo asedio – y yo epinicio – yo canto victoria –. El poeta se entrega del todo a esta apertura, a pesar de la resistencia de la naturaleza: su objetivo es ya un triunfo.

*

Cortejo y Epinicio: la esencia de lo que es, para el hombre, vivir en la tierra, en un particular tiempo y espacio, desde su ahora hasta su adiós.

Volumen I: *El Zócalo*: la primavera: la mañana: los iniciales veinte años.

Volumen II: *El Mensajero*: el verano: la tarde: de los veinte a los cuarenta años.

Volumen III: *La Opción*: el otoño: el crepúsculo: de los cuarenta a los sesenta años.

Volumen IV: *La Noche Antes*: el invierno: la noche: de los sesenta a los. . .

Los cuatro volúmenes: la experiencia de una conciencia siempre joven y madura, con sostenida energía. Un múltiple instante de lucidez: un extenso presente en un segundo intemporal. Nacimiento y agonía, amanecer y oscuridad. El triunfo de una derrota: un epinicio. Esto se enhebra con una multiplicidad de sentidos que se mantienen en la recepción y la mirada activa del lector.

"... tierra y alma, en la luz, se precipitan."

María Nieves Alonso
Universidad de Concepción

David Rosenmann-Taub – el "nacido en la calle Echaurren" de Santiago de Chile, en 1927; "el poeta vivo más importante y profundo de toda la lengua castellana" – "ha pasado a ser ignorado", escribe Armando Uribe, en 1998: "apenas habemos algunos que afirmamos su máximo valor en Chile y fuera. Pero no lo escucha prácticamente nadie." No oyen al creador de "los poemas más estremecedores de la poesía castellana. Ni la Mistral, ni otro ninguno, llega a la abominación de la pena patética a la que alcanza plenamente David Rosenmann-Taub con su garra desesperación." "Poeta extraño, tenazmente extraño, inclinado a la resonancia dialéctica como único instrumento de su numen a ratos casi feroz" (María Carolina Geel, 1979). Esotérico "que por su alto vuelo y su orgullo debe llamarse altanero" (Malú Sierra, 1981).

.·.

David Rosenmann-Taub – habría que repetir su nombre por los aires y las páginas –, enemigo de la publicidad, incluso de editar su propia obra, ha publicado varios libros: *Cortejo y Epinicio, Los Surcos Inundados, La Enredadera del Júbilo, El Cielo en la Fuente, Los*

Despojos del Sol. El azar y el silencio traen hoy ante mis ojos y mis oídos, a mi corazón y a mi mente, la reescritura del primero de estos libros, publicado en 1949 y premiado por el Sindicato de Escritores. *Cortejo y Epinicio* ha merecido algunas aproximaciones críticas. Así, por ejemplo, Francis de Miomandre, novelista francés conocedor de la literatura hispanoamericana, afirma que Rosenmann-Taub "posee una calidad y un acento totalmente excepcionales. No veo a nadie, ni aun entre nosotros, que se atreva a abordar la expresión poética con tan desgarradora violencia. El dolor de vivir, la desesperación y la amargura de las experiencias cotidianas, la variedad de todos los impulsos de amor hacia la creación, la obsesión de la muerte, inspiran, línea a línea, este lirismo desbordante de ardor y abatido peregrinaje. Es preciso anotar la participación de un humor y una fantasía casi delirantes". Alone, por su parte, destaca el carácter innovador y revulsivo del poeta cuya obra no se asemeja a las habituales. Según Hernán del Solar: "¿Cuál es la diferencia esencial? Generalmente, el poeta se halla frente al mundo y, de una u otra manera, muestra a las cosas, los seres, los explica y realza. Aquí, el poeta – dotado de una originalidad intensa, profunda, inalcanzable para la saeta trizadora de la lógica – crea su mundo, el propio, y desde él nos habla, nos enseña su conciencia, ese recinto privado, a veces incomunicable. Así, pues, para entrar en él debemos, en principio, abandonar todo razonamiento, el hilo conductor de la lógica, y caminar por lo recién creado con un permanente sentimiento de asombro…"

.·.

El dolor, la desgracia, el desasosiego, la verdad, llaman desde las páginas de *Cortejo y Epinicio*, huérfanas, al parecer, de toda consolación, cruzadas por señales de finitud, deterioro y pérdida ("Todo rompe tejidos. Todo muere"), aunque henchidas de ansiedad y deseo: nostalgia de absoluto y de pureza. ¿Seré capaz de escribir sobre ellas, sobre la apetencia de aquello cuyo fulgor azul se nos resiste con obstinación?

La dama calva, la cucaracha, la intemperie, los escombros, el estropajo, el polvo, la sombra, las zarpas, los cuchillos, las largas tijeras puntiagudas, los gusanos, los niños podridos, los borrachos macilentos, las espadas que rebanan los ávidos latidos, los sollozos, las arcadas, los asquerosos sueños, las goteantes calles sórdidas, los cajones vacíos, el llanto, los calcinados huesos, los fríos lechos, los escupos negros, el vacío absoluto y un león que charla y gime como el poeta, me esperan en esta poesía de la mortalidad, del desconsuelo, de la farsa y del horror del mundo.

$$\therefore$$

La lucidez, la pérdida de la inocencia, la conciencia inapelable de nuestro ser para la muerte y el polvo, nuestro inexorable caminar horizontal: "Ibas corriendo hacia la muerte por las ladinas graderías". Voces, voces, escucho otras voces: "la generación a la que pertenezco encontró el mundo desprovisto de apoyos para quien tuviera cerebro y al mismo tiempo corazón. El trabajo destructivo de las generaciones anteriores había hecho que el mundo para el que nacimos no tuviese seguridad en el orden religioso, apoyo que ofrecernos en el orden moral, tranquilidad que darnos en el orden político. Nacimos ya en plena angustia metafísica, en plena angustia moral, en pleno desasosiego político (…) Pertenezco a una generación que ha heredado la incredulidad en la fe cristiana y que ha creado en sí una incredulidad de todas las demás fes": así escribe Fernando Pessoa, el poeta albergado en Bernardo Soares, que parece haber perdido todo consuelo y cuyos demonios parecen también perturbar al autor de *Cortejo y Epinicio*. Afirmar que Dios ha muerto es más complejo de lo que hemos querido o sabido comprender. Pero, ¿quién habló de certezas?: "achiras, achiras, granate bastión / de la hierba húmeda, / salvaje, cimbrando, / salvaje rumor / de espumas / gozosas..."; ¿quién habló de victorias, si sólo hay resistencias y la ansiedad de ser un dolor alegre, si aun en la certeza del fin se eleva y surge una plegaria, el deseo de otros cuerpos y otros aires, la nostalgia de otros tiempos y el ansia de absoluto?:

> No el cadáver de Dios lo que medito,
> ni su traslumbramiento lo que muerdo:
> venero de veneros cuanto agito
>   y gano y beso y pierdo.
>
> ("Continuo Éxtasis", XVIII)

∴

Catorce secciones cuyos significativos extremos se titulan "Preludio" y "Pasión". Himnos entre dos víboras, vientos entre dos cimas, ritornelos. Despedidas, búsquedas en las lavas sensuales del regreso a los cielos profundos del río maternal. ¿La guadaña y la consolación? "Sólo a la espesa y untuosa impureza le es dado pasar por cognoscible, descriptible y relatable. Cognoscible en sus complejas relaciones con la alteridad, descriptible en su pluralidad intrínseca, relatable en su devenir histórico; sin un mínimo de desgracia e imperfección, es decir, de diversidad, no tendríamos nada que llevarnos a la boca, y el conocimiento, carente de materia, moriría de aburrimiento e inanición... Sólo lo impuro, con sus rugosidades, asperidades, disparidades y mezclas, puede aspirar a convertirse en objeto de nuestro conocimiento." (Jankélévitch, *Le Pur et l'Impur*). Todo ello en estrecha relación con la naturaleza intermedia del hombre, condición híbrida en la que el mal convive con el bien, dejándonos en una zona entre el optimismo y la misantropía. Esa zona, precisamente, constituye el espacio de la poesía de Rosenmann-Taub, leída como lugar del desconsuelo y el ansia de pureza y absoluto, de la búsqueda de un lenguaje que robe alguna brizna al misterio del que tan lúcidamente han hablado Simone Weil y, *también*, Nietzsche.

Rosenmann-Taub, desesperadamente enjuiciador y contradictorio, establece una insumisa relación con Dios: lo desafía e imita, en su sed por lograr un cobijo, un domicilio al cual volver y en el cual refugiarse en la desgracia, que, ya sabemos, es vía de conocimiento y verdad. Buscador excesivo y obsesivo, se acerca a la música ("Homenaje a Debussy"), al silencio y a la plegaria, apropiándoselos. Dios se retira para que podamos amarlo y enjuiciarlo. El lenguaje, entonces, es transgresión para llenar el vacío, el hueco, la herida; y, a la vez, interpelación, demanda. Llamar la atención de Dios, rezar, religar lo disperso, reunir, retornar hacia una especie más maternal que elimine o, al menos, atenúe la orfandad o la falsa paternidad de las palabras. Enjuiciar, callar, crear. "La vida, tal como es, no resulta soportable." Para poder vivir, dice Nietzsche, los griegos tuvieron que crear a los dioses. Además de soportar el momento del mundo de los titanes, se encontraron frente al horror de la existencia cuando percibieron la esencia verdadera de las cosas con la llegada de la sabiduría dionisíaca. Esa mirada libre de cualquier velo de ilusión produce el espanto, la repugnancia a actuar, un alejamiento de la vida; pero en este supremo peligro de la voluntad se aproxima el arte como un mago que crea y salva. El arte y nada más que el arte, dice asimismo *Cortejo y Epinicio*, es el mayor posibilitador de la vida, el gran seductor de la vida, el gran estimulante de la vida: "Ilumíname, labio, inúndame, desátame: / de púrpura es el canto, y el cálamo, de hiel."

Simone Weil afirma que los que rechazan la mentira y no se rebelan contra el destino, prefiriendo saber que la vida es intolerable, acaban por recibir, desde un lugar situado fuera del tiempo, algo que les permite aceptar la vida tal como es. Rosenmann-Taub, consciente, como ella, del horror de la existencia, revela poéticamente que una toma de contacto con la realidad es la desventura: la experiencia del dolor sin el paliativo de la ficción, la alianza natural entre dolor y verdad, entre abandono del yo y entrega absoluta.

"Sólo un camino hay en la tierra / y ese camino nos está esperando" ("Gólgota"). El sufrimiento como sedal. La actividad de espera, la súplica, la necesidad y el silencio para oír cómo cae la gota de agua ("Esfera", V). El autor de este libro que es seducción e himno, sublevación y plegaria, ironía y sacralidad, habita la contradicción y la expresa como motor de su pensamiento. Acepta la verdad, mas su espera es la de un huérfano – una lágrima que me duele la sangre y las uñas – que eleva su voz para inquirir a quien lo ha abandonado, pero le ha dejado la huella de su ausencia. Interpelar – atender sin negar la verdad y la desgracia, sin desconocer el mal y silenciar la impureza – parece, pues, ser su modo de buscar el bien y la pureza. El ser humano, dice la poesía de Rosenmann-Taub, es el lugar de lo trascendente, aunque lo sea en la forma del anhelo y la espera. Necesidad de lo que no está, pero cuya huella se roza, marcando todo lo real. Nostalgia que punza de la presencia perdida: "¿Dios, siempre resfriado, tendrá temperatura? / Cosmolágrima: / me desgarras y estrujas, / contubernio de sales, / sin verter tu aleluya. / ¿Dios, siempre despiadado, se fatiga en la ruta? / Cosmolágrima: / cómo punzas las sangres / y las uñas." Estética del oxímoron, anhelo de reunir los contrarios ("ser un dolor alegre"), la hipérbole, la anáfora, la reiteración, las metonimias, las alegorías y las fábulas caracterizan este libro en el que se interrogan y expresan las relaciones de pérdida y desigualdad, la suciedad del mundo y el deseo, en por lo menos tres zonas de enunciación, a mi parecer, privilegiadas. Una de ellas, quizá la más evidente, es la enunciación de la verdad y el enjuiciamiento del mundo y de Dios. Ésta es la escritura de la infidelidad del Dios que se ha cambiado de casa, de la necesidad, la desgracia y el abandono del hombre "sin un trozo" de su creador: "Dios (...) se olvida de la muerte / y la vida que riñen en un rincón vacío. / Y Dios se va sin verlas, mas siente escalofrío." ("Sarcasmo", XXVII). Aquí todo es rebeldía, exclamación superlativa y sarcasmo. Los ejemplos abundan. Recuerdo la oda sacra que termina con el amortajamiento del gran muerto ("¿Aquél? *Vive*: murió. / Amortajadlo, alondras") y la apoteosis del horror cifrada en el sacrificio poetizado en "El gato coge a una mariposa" ("Esfera", X).

"Es un luto estridente, es un lamento eterno..." No quiero glosar este poema. La fábula, la parábola, la alegoría, la denuncia del abandono en la noche del mundo, singularizada por la doble ausencia, la de los dioses que ya no están y la de los dioses que todavía no están, son evidentes: el gato coge a una mariposa. El complemento directo acepta únicamente la preposición "a" referida a una persona o cosa personificada. Sólo quiero destacar la personificación de la mariposa, emblema del alma y de la atracción inconsciente hacia lo luminoso, y señalar algunos aspectos de la intensa imaginería del gato, cuyo simbolismo "es muy heterogéneo, oscilando entre las tendencias benéficas y maléficas; que puede explicarse simplemente por la actitud socarrona del animal. En el mundo búdico, se le reprocha el haber sido el único, con la serpiente, que no se conmovió con la muerte de Buda, lo que, sin embargo, podría, desde otro punto de vista, considerarse como signo de sabiduría superior... En la tradición musulmana, el gato es, por el contrario, más bien favorable...; puede, incluso, poseer cualidades sobrenaturales." (Chevalier y Gheerbrant). *Te mastica la sombra: / a las sillas recorre / un conventual chirrido...* Aquí no hay salvación ni consuelo: Dios se ha olvidado de la vida y de la muerte. Triunfa la crueldad y sólo parece decible la impureza. Sin embargo, la poesía de Rosenmann-Taub – al menos la de *Cortejo y Epinicio* – no se inmoviliza en el espectáculo del mundo. En las series "Continuo Éxtasis", "Estampas", "Fortaleza", "En las lavas sensuales" y "Pasión" corre, fluye y se desliza hacia el deseo y la salvación. La sensualidad, el gozo y el ansia de amor están presentes, por ejemplo, en "Pleamar", "Itrio" y "Eucaristía". El anillo de los muslos, las ánforas de carne, los grávidos vaivenes, la aspiración del misterio copioso, el deseo que se hunde en la cintura y en el aliento de la amada, dan vida en "esta muerte", sobresaltan el abismo de Dios, permiten buscar el regreso a los cielos profundos del río maternal.

Poesía de las lavas sensuales, transformadora de los cuerpos gozosos en radiantes figuras irradiantes de símbolos ("Te dije: «Bálsamo del universo»... Te dije: «Breña y litoral y cítara»"), escritura estremecida del sueño de Dios. Es "Arcovuelo" de "Fortaleza", memoria de la piscina inmortal, cuya variante "Y ya volaban" termina cuando el corazón otea en su deshielo lo celeste ("Arcovuelo. Amplitud. Más allá vivo"), y "Continuo Éxtasis", o "Gólgota" de "Sadismo", regidos por las figuras de la Crucifixión ("entra, Cristo, a mi alma ... Allá se alza famélica la cruz, / allá van a crucificarnos"), por la memoria de las visiones celestes ("¡Salad el cielo, cielos retenidos! /...Oh piscina inmortal"), por la persecución de la llama divina ("linfas siempre divinas / en las cumbres divinas"). La prueba del llanto, en la variación de "¡Llanto a mí! ¡Llanto a mí!" publicada en 1949, es la prueba del asalto de Dios. Tiempo de salvación ("Sí! / ¡Salvado!") enunciable sólo en futuro, porque lo Puro, que no puede ser definido ni expresado, es incompatible con el presente: "Puro ya, / comprenderé (...) / Y ascenderé presuroso". Aún queda tiempo ("Aún. Aún") en la poesía de este *doble* impuro del dios martirizado en el Gólgota ("Mírame, Cristo, cuánto sangro").

∴

Quedan, por último, las huellas de la memoria feliz del trompo silencioso, de las calcomanías, del beleño armario, del "fondo de bizcochos y madre", de canicas, emboques y volantines ("Retrospectiva"). Escribir, dice Deleuze, es devenir otra cosa que escritor. Devenir, por ejemplo, un guardador de recuerdos con ternura de ceniza, como sucede en *Cortejo y Epinicio*, arca de "ruinas de ruinas" donde el resplandor del pasado, vapor sin fin que mitiga el esqueleto, se cuela como un golpe de luz en los visillos. Acaso se escribe sólo para que no muera la ardiente memoria del "lugar de integridades" cifrado en "la obediente sartén, el amuleto / tiznado, la mostaza, la nevera, / el roto lavaplatos, la sopera / pimpante, los melindres del coqueto / jarrón versicolor, el parapeto / de vainilla, azafrán y primavera" de la cocina de la infancia: "Lugar de integridades: mi albedrío... / Oh dichosa cocina: cuando muera / y mi tiempo –sin tiempo – vibre y crezca, / en ronroneo fiel todo lo mío / claro retorne a tu silvestre estera / y tu vapor – sin fin – lo desvanezca" ("Fortaleza",

LVII). El poeta de las bodas escandalosas, de los saltos entre reinos heterogéneos – la novia y la muerte, el dolor y la alegría, el ascenso y la caída, la imprecación y la plegaria, la canción de cuna y el réquiem – es también el poeta de la felicidad – tema improbable del que quizá sólo deba hablarse en primera persona –, desde luego, para darla por perdida. La felicidad, parece decir Rosenmann-Taub, es una de las formas de la memoria, un atributo de los recuerdos. No es cierto que el tiempo se lleve la dicha, pues nos trae su nostalgia, que es la única forma que tenemos de conocerla: "Puma de luz: me he sumergido / en el cuarto de Sara, / hurgando una quimera de pudores y almizcles / en las gavetas donde ya no hay nada: / embriaguez de baldosa con lluvia, / de retratos o broches o acacias..." ("Fortaleza", LXVI). El materialismo desolado, la conciencia de la fosa que nos contempla sedienta, el zumbido de la memoria de los idos, las visiones de la crueldad universal no borran en la escritura la huella de aquello que fue un prisma de luz y de fragancia. Ese olor, ese perfume "remoto, perdido" que vuelve en metonimias de presencias perdidas.

Dichosa cocina... Lavas sensuales... Huerto de Dios... Sara: cuanto ha sucedido no es más que la destrucción, y Rosenmann-Taub no pretende la inocencia y la equivalencia. Escribe de la impureza, pero su poesía, deliberada complejidad y contradicción, se eleva y vuela hacia otros santuarios. Es el *nácar* de la infancia. Esa dicha, esa pureza que la escritura poética salva como traza y resonancia. Huella que dice la ausencia de la cual está hecha la poesía: "hurgando una quimera de pudores y almizcles / en las gavetas donde ya no hay nada".

Canto, pues, de despedida y de retorno: "he gritado, vicioso, por la rambla / de la victrola desaparecida: / por su cardumen de pizarra cálida: / tobogán de cerezas / para arribar al nácar de la infancia". De la boca del huérfano, del corazón y de la mente del extranjero surgen, como en una letanía, palabras obsesivas que figuran la muerte, pero que poseen fuerza – *fortaleza* – para sostener la vida. Poesía implorante e imperativa, sensual y ascética, oscura, luminosa y cromática (el juego de los colores no es un rasgo menor en ella). Estamos ante el terror y el ardor del que se rebela y, aún sin saber, espera. La voz elegíaca de quien ha perdido la esperanza y apela, busca, escarba en el niño que, contra funerales, gatos siniestros, hormigas, arcadas, crespones, dagas rojas, persiste, asciende, resiste, en un canto purificado por el dolor:

> Crece el aire. Es de noche
> sobre la faz de Dios. Sobre mi aurora,
> temerosos, los cielos,
> transitorios remolques,
> cantan (...)
> Palafito, mi fragua
> se complace: acaricia
> la luz: coronará.
> Me acuno. Enardecidos,
> en la boca de Dios, los astros gozan.
> ("Continuo Éxtasis", XXIII).

∴

Desasimiento, purificación. Atender y esperar: es posible devenir niño, pájaro o sonido. Dejarse ser en el flujo de la naturaleza: "Puro ya, / de la invasión de Dios / comprenderé los tornos. / Y ascenderé la plenitud / de mi sangre revuelta con los pájaros" ("Continuo Éxtasis", XXII). En el devenir no hay engaño, ni pasado, ni presente, ni futuro. En un camino, en una línea, valen el principio, el final y el medio: la atención a las huellas de las presencias perdidas, el espacio de la interrogación del misterio de Dios ("¿te escondes? ¿o me escondo?") y de la Muerte ("Ya no se sabe quién es quien persigue"). Algo que está entre aquello que se enuncia y los fragmentos de una espera. Algo que convierte la errancia del poeta en migración fecunda, que hace de los ríos un lenguaje y del lenguaje la morada, el poder por el cual el día permanece y es nuestra residencia: "Palomasálomaspalomas..." ("Esfera", VII). Rilke lo llama "canto sobre la tierra (que) consagra y celebra". Rosenmann-Taub, "canto de tierra alborozada". Canto que permanece: "su canto: mi canto". ¿Después?: "Después, la noche que no conocemos / y, extendido en lo nunca, un solo cuerpo / callado como luz. Despúes, el viento." ("Preludio").

"Hay que dormir el sueño de la tierra. / Hay que dormir. / Dormir. / Apresar la cascada. / Y en la sola mejilla de la tierra / apoyar las mejillas, / navegando a la paz." Vislumbro, ahora, para qué se (re)escribe *Cortejo y Epinicio*. Se (re)escribe para aproximarse a la luz: "Muero. / Desde los ejes, infinitamente, / tierra y alma, en la luz, se precipitan." ("Pasión"). Es el sueño de la tierra y del alma del poeta: el fundamento de un canto en el que la palabra deviene radiante consumación que da nombre, acoge, invoca y consagra a lo innominable: "Achiras, achiras, (...) / salvaje rumor / de espumas / gozosas, / frondosas, / radiantes, / alígeras, trémulas, más / alígeras, más / radiantes, más trémulas, más / radiantes, más trémulas, más / radiantes radiantes, más trémulas trémulas, ¡más!" ("Estampas", XLV).

∴

– Oh poeta, dime, ¿qué haces? – pregunta Rilke.

Rosenmann-Taub, el poeta que espera la precipitación en la luz, responde: – Celebro.

– ¿Cómo soportas, cómo abrazas lo mortal, lo monstruoso?

– Celebro.

– ¿Y por qué el silencio y el furor y la estrella y la tempestad te conocen?

– Porque *yo* celebro.

A mis padres.

PRELUDIO

I

Después, después, el viento entre dos cimas,
y el hermano alacrán que se encabrita,
y las mareas rojas sobre el día.
Voraz volcán: aureola sin imperio.
El buitre morirá: laxo castigo.
Después, después, el himno entre dos víboras.
Después, la noche que no conocemos
y, extendido en lo nunca, un solo cuerpo
callado como luz. Después, el viento.

PAGANO

Otras voces reclaman otras voces.
Otro río fulgura en otros hombres.
Yo, sumamente lejos.
Contra mi lejanía el aguacero
rompe sus viejos odres.
Otra amapola mece los cinéreos
vestigios de otros dioses.

III

En las eras, ajeno,
he raído los mismos sabores
que aprendí en las escuelas del sueño.
¿Cuándo empieza la noche?

Derroté mis efigies:
pestañearon – tamiz –:
los corceles de límites
resollaron – ardid –:
murallas de furor sobre mis torreones.

ESFERA

V

Con su soga oportuna me ahorca
la baldía intemperie de duendes:
estropajo que arrimo de emblema:
ataúd enroscado, azacel.
Una gota de agua me anhela.

Es danzar con la hostil deserción:
el presagio al revés y cumplido.

Por cordura de harapos garduños,
aflojar lo postrero. ¡Es huirme!
Va a caer y mi sino se tensa,
abrevando la fiebre en cenit:
alfiler que se incrusta en la greda.

¡Sí! ¡Permíteme oír cómo cae
esa gota de agua, Dios mío!

VI

Olvidamos los ojos
inhóspitos, la boca
que ríe amordazada;
las uñas, infinitas,
que la oquedad custodian;
las arrugas, la frente,
el ademán de playas;
el húmedo crepúsculo
que también nace abajo.

Antes que la luz tiemble
dentro de las gavillas,
Dios madura en el polvo
de los dorados surcos.
Un árbol nos doblega
sus ciegas ramas crédulas,
y nos vamos tornando
sombra y sueño en la sombra.

VII

AEROLITO

Desde la edad de las perlas limpias,
cuando no había ninfas viejas,
sólo niñas.
Ibas corriendo, hacia la muerte,
sin tu relámpago en las bridas.

Oh matrimonio entre los goznes
de la cizaña.

Palomasálomaspalomas,
palomas en los tribunales,
correveidile.

¡Tambor de arena! Basiliscos
inverecundos zarandean
el nicho entero.
Palpalomas.

Era la edad de las segundillas:
no había, entonces, ninfas viejas,
sólo niñas.
Ibas corriendo, hacia la muerte,
por las ladinas graderías.

De Roma y Lamia, mis parientes:
perjurio añil, favor plomizo:
mis heresiarcas reverentes,
qué alud de púas os deshizo.

Danaides y pandoras
de barzales sagrados,
pastores y pastoras,
lar de halcones,
homeros, salomones,
urgidos,
por ámbitos de nadie, sucumbidos,
animan sus reinados.

Palomasálomaspalomas,
palomas en los tribunales,
correveidile.

Ya se acelera el chambelán,
ya me recluye la maleza:
tapas de justa ranciedad,
no palpalomas que disuaden.
Página mía de legaña,
¿con mi cuchilla me acuchillas?
El pertinaz tirano – humilde –
cala rebenques – taumaturgo –:
no me zafara en sus ojeras,
ojeras como murciélagos.

Era la edad de las roñas limpias:
no había, entonces, ninfas viejas,
sólo niñas.
Ibas corriendo hacia la muerte:
brasa de máscaras cautivas.

Nuestroseñores, romboides,
hierofantes, mis abuelos:
sus gregüescos de girándulas:
espejos borneando espejos.

Palomasálomaspalomas,
palomas en los tribunales,
correveidile.

Fimo de estancia de caprichos:
tictac. ¿Devastas, granizal,
mis perennes exequias?
La muerte, sorda. El embalumo,
festoneador. Hachas y astillas
rechazan pomos y brebajes.

Despecho, opción, cascos: ¡atrás!
Con mi relámpago, sin bridas,
las caravanas.

VIII

En el poniente de pardos vallados,
de sobaquillo y verónica de oro,
juegan el hombre y la parca: embrocados,
derivan: cuadran faena. El tesoro,

caliginoso cabestro, se oculta
de la destreza de tules solares:
risco de fauces de jade: sepulta
los quioscos gilvos. La parca ¡No pares!

hace ondular sobre los inmolados
novillos. Cómplice de acantilados
cuernos, ¡No pares! se trasvina, sigue

y sigue. . . El hombre a las landas del cielo
ha escudriñado con garfio gemelo.
Ya no se sabe quién es quien persigue.

IX

JERARQUÍA

Ganglios
– líneas –
y puños.
¿Qué más?
Los panoramas.
¿Éstos?

X

EL GATO COGE A UNA MARIPOSA

Es un claro de luna desmoronado, ciego,
que lóbregos estambres enarbola; es un claro
de luna en la pared del comedor, y avanza,
por garras de candor, las alas a la rastra.
Bajel de inmensidad, todo gris ligereza,
con indolencia gris te amustias y tu vuelo,
            rezongando, rebota.
Las bandejas se apartan de tus torcidos mimbres:
            te mastica la sombra:
            a las sillas recorre
un conventual chirrido, la alcuza tintinea
            roncamente en el trinche,
las servilletas gritan, se funden los rincones.
Es un luto estridente, es un lamento eterno
de cucharas, manteles, platos, saleros, vasos;
es un claro de luna desmoronado, ciego,
que lóbregos estambres enarbola; es un claro
de luna en la pared del comedor, y avanza,
por garras de candor, las alas a la rastra.

XI

CANCIÓN DE CUNA

Dinde.

Con retales de musgo, cariño mío,
te envolveré. Haga tuto mi niño lindo.
Te envolveré bien, hijo,
con esmeraldas y halos alabastrinos.
En tus manos, goloso cariño mío,
mil gusanos bonitos.
Haga tuto mi niño, niño podrido.

(Cuídate, aliento mío, por los atajos.
Adiós, aliento mío.)

Tranquilo, que te acompaño.
Muy luego con babero de barro:
niño violáceo.

Duérmete para siempre, mi lucerito.
Ciérrense tus ojitos, mi lucerito.
Ciérralos para siempre, niño podrido.

(Cuídate, aliento mío, corazoncito.
Aliento mío, aliento mío.)

Con pañales de hormigas, cariño mío,
te abrigaré el potito.
Duérmete para siempre, mi niño lindo.
Duérmete, hijo.
Hazle caso a tu Nana: ¡duérmete, hijo!

XII

LA LENTÍSIMA

Caverna: tus paladares,
de improviso, la contienen:
riego de galas cuajadas,
estalactita que hiede.

Hartándose de tastaz
y vaticinios y preces,
entre motines de tumbas
unce la Cena al Pesebre.

«Ábranse mis albas a luz verdadera:
catedral de helechos para mis dinteles.»

¡Pómulos!
Halla la Faz, pero no cree.
Travesea en los equilibrios,
pero se pierde.

Algaraceando, la maraña
corta el collar serpientemente:
no se disuelve su murmullo
en la cintura de la nieve.

XIII

DIÁLOGO SEPULCRAL

Y me imprecaste en medio de la sala:
«Te sacudí la vida y no morías;
te ceñí con mi absorta gangrena y no morías.»

«Ven» – repliqué desde el usurpador
candado –: «¡carcelero!
Ya mucho que acongojas, lenidad,
mi innoble guarnición:
el cendal aborigen
trastrocará en arteria de puntuales
levaduras. Empújame a tu apremio:
me reconquistarás
como cuando de bruces gusté el trance
de los hielos. Palpítame.
Que, recordando, olvidas.»

Zodíaco de amén,
tu mirada bordó fénix guirnalda
que anudó las cortinas y trizó las ventanas.
Dentro de ti, por fin, agonicé.

XIV

CALOSTRO

Féretro de canela.

XV

ELEGÍA Y KADISCH

¡Acontecieras a convalecer!
Te saludara
y no me diera cuenta. Pergaminos . . .
Paladas . . .
De qué césped el cielo.

Compensándote *ahí*,
tantearía otro vértigo, quizá
la rada de secretos:
sonsacarte
en oración de sarmentosa luz.

*
* *

Jocundo yugo, sorbe
loores
de escabeles:
avenarás los años.
Ay,
me existes,
cerviz,
o me transiges.
¡Necio, necio taled!

Impídeme decirlo – por tu Dios –
por tu sangre.

*
* *

Si en la plaza rondaras: ¡fueras tú!:
nefario con prolijos desaliños,
albricia del escarzo:
que entre los cercos de las losas no:
que aquel sábado, fácil, fraternal,
se demoró un domingo eternamente.
Y mi poema no tendrá sentido.

XVI

De vuelta a los rosales,
pavesas en los rayos de parques agostados,
hacia su paraíso las rosas se dispersan.
Ser sin ser, mis corimbos,
marchitos, se preparan.

¡Redentores
nidos! ¡Brisas! La luna
muere al nacer mañana.
Noche antigua, esta noche
tejió, aterida, huérfana, el sudario
que hoy es dueño del sueño.

Los pámpanos, estevas,
frotan la primavera: criaturas
de pan de sortilegio
ondean, en lo hondo de la almendra,
porvenires vividos:
inerrantes glicinas de celajes:
gaviotas: Dios viajero:
mármol:
mar.

XVII

GENETRIX

Acabo de morir: para la tierra
soy un recién nacido.

CONTINUO ÉXTASIS

XVIII

No el cadáver de Dios lo que medito,
ni su traslumbramiento lo que muerdo:
venero de veneros cuanto agito
    y gano y beso y pierdo.

A dentelladas, esplendor de ala
total en mi espadaña azul, resiste.
Copa, satisfaciéndome, resbala.
    Pedernal fibra, embiste.

Oh campana de túnicas divinas:
    linfas siempre divinas
    en las cumbres divinas . . .

XIX

Vocación.

Mi ciencia: ignoto heraldo que conozco.
¡Me pueblas, menester!:
me eliges a mansalva.
Adornas mi desdén con el ajuar
– peldaño – de la arcilla
diligente. Germino.
Te desnudo, Cibeles.

XX

Me incitó el espejo:
«Qué duro mendrugo para mis imágenes
aquella albufera ciega.» Sin semblante,
le incité: «Me veo.»

XXI

De hinojos, las visiones deslumbradas,
oscuramente, así como has pedido,
con el hosana diáfano escindido
sobre las palmas apesadumbradas,

en el amplio reposo apetecido
desde que padecí las empapadas
vigas de siervo, hasta que tus espadas
rebanaron mi intrépido latido,

en mi lecho final aquí me tienes.
No sé si acudirás y tengo miedo
de que no vengas a mis pobres sienes

a tomar este fuego de viñedo
tuyo que por la tierra he sustentado:
aprisa, quiero aprisa tu llamado.

XXII

¡Llanto, a mí! ¡Llanto, a mí!
Revélame, abastéceme,
difidencia y estigma,
sin reliquias,
albergue.

Ultraje. Fierabrás.
Salaces holocaustos.
Ágilmente inviolable.
Queda
tiempo.

*
* *

(¿Tú?)
Virtualidad de escollos
– trofeo:
morondanga –,
me liberas.

*
* *

    Puro ya,
de la invasión de Dios
comprenderé los tornos.
Y ascenderé la plenitud
de mi sangre revuelta con los pájaros.

    ¡Sí!
Vigor comensal de la floresta.
Trino de vendavales.
¡Arrebol
en bandada!

Crece el aire. Es de noche
sobre la faz de Dios. Sobre mi aurora,
temerosos, los cielos,
transitorios remolques,
cantan. Mi faro, sesgo,
tersa la Mano Fábula,
engendrando el rocío.
Tras la ermitaña vega sibilina,
la dehesa estelar.
Palafito, mi fragua
se complace: acaricia
la luz: coronará.
Me acuno. Enardecidos,
en la boca de Dios, los astros gozan.

Era yo Dios y caminaba sin saberlo.
Eras oh tú, mi huerto, Dios y yo te amaba.

    Qué de azotar las cúpulas, nombrándote;
sin lazarillo, tantos territorios,
zanjándote; implorándote, glacial
sol de rencor hacia tus tempestades:
       ¿te escondes? ¿o me escondo,
       celando tus sandalias,
       en largos funerales?
Con los sollozos de mi vastedad
qué de azotar las cúpulas, nombrándote.

    Era yo Dios y caminaba sin saberlo.
Eras oh tú, mi huerto, Dios y yo te amaba.

IMPROMPTU

XXV

Ilumíname, labio, inúndame, desátame:
de púrpura es el canto, y el cálamo, de hiel.
Te saciará de zumos la jarra de mi pecho.

Inúndame: la fosa persevera sedienta.
Desátame: mis brazos no son sino semillas.
La orgía de rubíes abarcará mi fuego.

Complétame y restaña, bocanada, en la estrofa
de azar, los vasallajes de eternidad frutal.
Eleva, para mí, tus huellas de fanales.

Abatido, el centauro del ocaso, en agraz,
derribará el tendón que mi asombro prefiere.
Brizna de regocijo: mi carne no es mi carne.

Destrúyeme en el éxtasis, pantano de indelebles
gargantas o cadenas: definitiva sílaba.
Escanciaré del todo la maga medianoche.

Por crear hendeduras en el templo arrasado,
entre constelaciones zurcidas, cortezuela
de tu tronco de lepra, se parte el horizonte.

Ilumíname, labio: mi corazón gotea.
Los luctuosos renuevos trituran sin descanso
mis liturgias. Inúndame: las laderas vacilan.

Aluvión y prodigio, tus mieses me blasonan.
Es más púrpura el canto en el amanecer.
Desátame: mis brazos no son sino semillas.

SARCASMO

XXVI

DOGMA

La fila de tigrerreales se engarza con emperadores.
¡Buen día! (Telón.) La velada pronuncia sus astas feroces.
¿Os merma zancadas la avispa? ¡Farfantes! ¿Acaso se opone
la regia costumbre al doméstico modo de urdir de los hombres?
Si cruda visita engullerais por apetitosa o por pose,
o blanda familia asolarais por dar a entender sinrazones
de atufo y prudente locura, cuidaos mejor: los garrotes
terminan la gula con lobos, el lobo con pulcros pichones,
el fatuo pichón con arañas, y arañas dominan los bosques:
pues es necesario informaros que arañas son nuestros patrones.

Trascienda la fila de tigrerreales y al ágape arroje
la burla de cándida avispa: con ella abriremos los postres.

XXVII

Dios se cambia de casa. En un coche de lujo
muy solícitamente guarda la estrellería
del sur. Echa en un saco al ángel principal:
la loza del ropaje afina el festival.
Cuán atareado se halla: por convencer a un brujo
de una residencial, de que la estantería
del juicio amamantó a la percha del mundo
– los grimorios ganzúan la absoluta palabra –,
se le escapa la luz del carro de mudanza,
con primogenitura. (En la tierra, iracundo,
se queja un costurón.) Perpleja, la Balanza
redila los rebaños y la dilecta cabra
apacienta en la nada. Requiriendo su espacio,
la vilhorra, en desquite, trisca en una mejilla
deste Dios distraído que cierta vez nos hizo.
Los torpes serafines tropiezan en un rizo
de Lucifer. Los coros yacen con la vajilla.
Y así entre trueno y trono se desarma el palacio.
Dios mete los edenes en unos cuantos tiestos,
y al fuego del infierno le aplica naftalina.
Los imanes neutrales en un baúl son puestos
junto a la senectud del alma y los anteojos
de Dios. El turbulento bergantín se encamina
por las olas del fárrago hacia la nueva casa.
Antes de abandonar el reino carcomido,
logrando repinarse sin que el polvo despierte,

Dios sube a la azotea a ver si, por olvido,
algo se le ha quedado: y aunque atisba y traspasa
los libres pasadizos, y baldean sus ojos
tejados y buhardas, se olvida de la muerte
y la vida que riñen en un rincón vacío.
Y Dios se va sin verlas, mas siente escalofrío.

XXVIII

ODA HEROICA

¡Qué estuoso cáliz ebrio, qué resplandor de hoguera
nos une desuniéndonos como a dos llamas tercas!
Oh taladro: vadeamos el borbor de tu estepa
con navíos sin anclas. ¿Lo ignorabas? ¡No mientas!
Sobre los oratorios – compactos y verdugos –,
decorando el brocal que adula nuestros túmulos,
sacrificamos vísceras de cordero impoluto.
Erigimos, por hostia, tu cerebro inconcluso:
sin un trozo de Ti, queriendo ser planetas.
¡Qué compás miserable, qué resplandor de hoguera!

Embadurna cadalsos tu penuria furtiva.
Hados de estratagemas de mancuernas precisas,
mártires eficaces, las cepas se engranitan:
caparazón de tedio y oscitancia y rapiña.
Ese exilio nos diste, gustador del aciago
letame. Esguilaremos, tremantes, por tus tallos,
consumados, sin cólera, sin plegarias, sin dardos:
en la corrupta calma, montañas al asalto.
Incendaja de esclavos amenaza tus puertas.
Guerrera altiplanicie. ¡Qué resplandor de hogueras!

XXIX

ODA MORAL

¿Dios, siempre resfriado, tendrá temperatura?
Cosmolágrima:
me desgarras y estrujas,
contubernio de sales,
sin verter tu aleluya.
¿Dios, siempre despiadado, se fatiga en la ruta?
Cosmolágrima:
cómo punzas las sangres
y las uñas.

XXX

ODA SACRA

Quieta, la noche. Lidian
cautelas, laberintos.

    Desembarca
de súbito la luna:
ruge. Ruge zafiros
el bardal:
prevalece.
            Fisgón
bulto de póstumas
orugas,
la valetudinaria,
redonda, nos *hendía*
con amargo avatar.

    ¿Aquél? *Vive*: murió.
Amortajadlo, alondras.

RECREOS

XXXI

El grillo con la retama.
Azabaches amatistas.
Orea los bojedales
la circe: sauce de intriga.
Sinuosidad, asidero
de los tinglados del día,
expiran las navidades
cabe la fresca sevicia
que con jácara de berros
entrelaza golondrinas.
El grillo sin la retama . . .
La canoa se resigna.

Un movimiento de parvas
contra los tapiales pálidos.
          El corral
– manantial – de la mañana
florece gallinas cluecas.
          El naranjo
casi no se balancea.
Sobre las alfombras verdes,
          comedidas,
soñándolas – manantial –,
el cubil del perro duerme.
Modorra: la cañería.
Dios estriba en las cobijas.

XXXIII

Con carruseles de fucsia
y búhos de trasparencia,
mi trabajo vagabundo:
fiero dátil con palmeras.

Para el moscardón tenaz
instauro encarecimiento.
Silba la historia que silba:
marco de abril regodeo

por donde entra en garullada
el ciclo de los maitines
y sale – galgo de orgullo –
el opíparo repique.

Surgieron los céfiros
izando candial dinastía:
menguaron la esquila, el incienso,
la leña y la oliva.

Los niños surgieron
sin lago de madres henchidas:
menguaron los meses: cadejos:
ortigas de dicha.

De suelos y cielos
mis tardes humanas encinta
la pompa de niños y céfiros.
Me crispa la envidia.

ASFÓDELO

XXXV

Donde tientan mamparas, a la izquierda
de la acera insondable, entre dos bloques
hoscos, junto a mi hospicio, en una veta
de mucha sombra y mucha orina, donde

una erizada escoria está enhebrando
decrepitud, donde la luna pone
un pan álfico, sombra en sombra, abajo,
donde aúllan, pujantes, los hedores,

con mis bisuntas gasas, tabernario,
escafilo un larguísimo deseo
*   de albañal sin atmósfera:*

soy en mi sueño un denso escupo negro
de la acera insondable, cual ponzoña
u ojo aborrecido, desertor:

un denso escupo negro,
taciturno, en la orina legamosa,
rutilando, en la sombra, más que el sol.

SADISMO

El abeto fustiga
al hastial y al espacio: tal mi cuerpo.
¡Malvado espacio con hastial malvado!
. . . Y el día se escabulle.

XXXVII

EL COMBATE

«¿Hacer?», me retorcía el Poderoso:
«autodefé de trámites lacayos,
      amolando cilicios,
acuso la nostalgia del bozal.»

«¡Hacer!», blandí, de pie. Larvas . . . Rivales
nieblas – andamios – en los yermos: una
luz rededora decisivamente
      nutría y desmigaba.

XXXVIII

Las aves en las frondas
se agolpan: meridianos arrecidos
en el umbral del tiempo.
Alármanse las ingles de la aurora.
En las rosas, rocío de relámpagos.

Gelasino, el dolor
se descuelga del techo, con sus naipes.
Esquivos intervalos,
talante de rastrojos, las alcobas
pernoctan, adversarias.

Ah, gladiador invierno:
¿me habitarás con todos tus crespones
de caridad? Ubicuo
puñal, húndete en mí.
¡Mayo, trasiega
hasta mi corazón la raíz de la escarcha!

XXXIX

GÓLGOTA

1

¡Yo fui! ¡Yo fui! Lo saben la clámide y la hiel,
la caña y el mazuelo. ¡Yo fui! ¡Yo fui! Lo saben
tus manos y tus pies.

Sí, Mesías, ahora, rumí, crucificándote,
amo mi pesadilla. No se perdona al mar:
no intentes perdonarme.

Mis venas, de veneno, aldabas de orfandad,
porque desaparecen y por crucificadas,
te crucificarán.

2

Tanto marjal de odio, demasiado:
entra, Cristo, a mi alma.
Tanto rojo vinagre, demasiado:
      despedázala.

Entra como varón,
segando mis latebras: con tridente
haz solfatara el corazón,
hazme cobarde, no valiente.

Tijeretea y más tijeretea
las opulencias de eslabones:
más desafiante y más perpetua,
mi huesa nunca recoge noche.

Para que rompas, te doy ira;
para que hables, te doy voz;
tijeretea y más tijeretea,
tijeretéame el corazón.

Alumbra, ciego, acrece, acrece:
yesca pupilas de Jacob;
para que rompas, te doy ira;
para que hables, te doy voz.

Para que vivas, te doy sangre;
sangre te doy, para que mueras:
tijeretea bóveda y torrente,
tijeretea y más tijeretea.

Soterrado, no resucites:
manaré por los cien costados.
Muérete azul, que muero azul;
baja del médano, que estoy bajando.

Cristo, si niegas lo que niego,
guarden tus llagas al llagado.
¡Por tu costado manaré!:
vive muriéndote en mis palios.

La escarpadura se agiganta:
mis empeines bregan clavados;
Cristo, tu luz, sin luz, naufraga;
Cristo, los dos vamos soñándonos.

Óyeme, Cristo: soy tu oído.
Mira la cruz: soy el crucificado.
Soy tu lengua – mudo que habla –,
soy tu lengua y te estoy hablando.

Mírame, Cristo, cuánto sangro;
mírame: el cielo, casi humano;
glorioso fruto de la sombra, mírame
párpado a párpado.

Me llevas dentro de tus ojos,
espejismo de agobio ufano:
mirándote me trasfiguro,
¡mirándome te estás mirando!

Nos abrigan mezquinas rocas
simuladoras de escudaño:
anonadadas, ambicionan
que arrebujemos su jirón de lábaros.

Tu madre sube de rodillas
el médano que ya has bajado;
mi madre – secesión – como tu madre:
somos, los dos, hijos del llanto.

Lloro: tus lágrimas despiertan
en mis mejillas espina y clavo.
Cristo, si niegas lo que niego,
niégame amante, niégame hermano.

Tu reino, apenas, cicatriz
de belfo cercenado.
Lloras: mis lágrimas arraigan
en tus mejillas de coágulo.

No te rezagues: avancemos
al mismo paso tumefacto:
sólo un camino hay en la tierra
y ese camino nos está esperando.

Cristo, abrázame, nadal estiércol:
aquí, de par en par, te abrazo:
hemos de ir así hasta el fin,
aunque encontrarlo sea no encontrarlo.

Aquí, sin brazos, sin alero,
aquí avancemos abrazados.
¿Que te desangras? Yo también
voy desangrándome a destajo.

Ambos jamás vimos la gleba,
ambos jamás apisonamos
arredramientos de belenes bueyes
que los hisopos desgastaron.

Empezaremos a melgar
con los quijales por arados:
barbecho nuestro de propicio ayuno
de letargo.

Avancemos por el presente,
siempre desnudos, pero enlutados:
por eso acechan zarzas de oprobio
con jrein fingido en cribas de soslayo.

Acrece, ciego, alumbra, alumbra,
verbo de aljófar, párpado a párpado:
suave, abertal, tu ceño mío
nos ungirá con desamparo.

Por eso el viento engavia uñas,
disgregándonos, desangrándonos.
Tijeretea y más tijeretea:
somos, los dos, tijereteados.

Avancemos por el futuro
– negras arenas, negro peñasco –,
irrumpiéndonos, docilidad,
la peripecia mientras el hartazgo.

No te rezagues: avancemos
hacia el delta de los milagros:
¡sólo un camino hay en la tierra
y ese camino nos está esperando!

Allá se alza famélica la cruz,
allá van a crucificarnos:
cibera: ciar de molicies atroces
sobre los firmamentos apagados.

XL

Ah, ser la triste oveja que ante el perro temible
insiste en bizarrías de profusa desmaña,
y acercarme, acercarme al brío incomodado,
y acercarme, acercarme y olerlo: ser el ímpetu
que muerde montaraz y con liana de baba
salpica las pupilas del eclipse sangrante,
y gozar del dolor: ser un dolor alegre:
la ola más alegre de los mares inmensos
y la nube más roja de todos los ocasos.
Desde los filaretes, majestuoso ciprés
tras los retumbos, contra los arduos apogeos
de hollín, tras las medusas que, con ansia, se extinguen,
ah, ser el asesino, ser la irisada hoja
próvida entre las tripas desventuradas, ser
el embalse del mosto, concordia de estertores,
y gozar del dolor: ser un dolor alegre:
la ola más alegre de los mares inmensos
y la nube más roja de todos los ocasos.
Ah, ser la rauda cópula del rijoso león
y la muchacha nítida: soles, ampos y soles:
los baluartes de un eco de orgullosas argollas,
las poleas de un valle de azucenas coléricas:
ser el cuello de mirra que, rebelde, palpita,
ya compungido estuche, ya lodazal, ya fresno
por sobre barandales, acendrado, vigía,
y gozar del dolor: ser un dolor alegre:

la ola más alegre de los mares inmensos
y la nube más roja de todos los ocasos.
Durante una espesura, plácido caracol
hacia los capitolios, enviscando la tribu,
en la morosidad de torvos rebalajes,
ah, ser la fugaz grima de las algas atónitas,
el espasmo de piedra de la zupia batalla,
el zigzag forastero de la escama que sueña,
y gozar del dolor: ser un dolor alegre:
la ola más alegre de los mares inmensos
y la nube más roja de todos los ocasos.
¡Sí, la oveja en porfía de tinieblas, y el perro
que descuaja el hocico de la oveja, chocando
con la tierna mandíbula, y ataca la mandíbula,
y la oveja que pule el arcaduz enjambre
con las yemas del viento, con las lenguas del pasto:
ah, ser la inexorable parasceve de fuego,
y gozar del dolor: ser un dolor alegre:
la ola más alegre de los mares inmensos
y la nube más roja de todos los ocasos!

XLI

Náusea. La cicindela
– basalto, perfección –
con su flamante envergadura ríe:
acerada. (La escoba
me soborna.) Me hinco. Dejadez
que no se ruega inútiles sentidos, ni se aparta.

XLII

¡Mi dama calva, mi apacible dama!
¿Qué armiño en ráfagas
robó tus trenzas
de cucaracha?
¡Epa!, no vayas a entupirme ahora:
me falta un viso
– barrabasada –
de crines
férreas
para el rehílo
de la veralca.

Gema o cangrejo,
grieta o salitre,
desde la bola
severa y árida
– pezón – irradias,
brava manzana
a volquetazos por el dormitorio,
una molondra
de suculento
puente
de cardas.

Almíbar:
suero. ¿Laureles?
¡Nuca
pizpirigaña!:
no me aproximes tu afición desnuda:
cuando me brindas
todo tan todo,
bajo las sábanas te sobrepasan
hasta las ratas, mi imposible dama:
suma sin forma:
¡nada con calva!

XLIII

LEY

Cancerbero perfil.
En el duelo sin noche
Caín mató a Caín.

*
*　*

Las aguas se responden.

XLIV

CONSOLACIÓN

Unas griales tijeras almaradas me he enterrado en los ojos,
en los invictos ojos, hasta el sótano
de las cuencas impuras.
Con benévolos dedos he extraído
la docta gelatina de fulgores: la presencia del Hijo.
¡El encierro sin límites! ¡La distancia peluda!
¡Compasible soberbia de bisagras de la lucerna gruta!
Una lezna de brumas anacondas me he enterrado en el pecho.
Ah . . ., remisión . . . Postigo mío, cedes . . . Salgo . . . esta vez . . . del sueño . . .

ESTAMPAS

Achiras, achiras, granate bastión
de la hierba húmeda,
salvaje,
salvaje, cimbrando,
salvaje rumor
de espumas
gozosas,
frondosas,
radiantes,
alígeras, trémulas, más
alígeras, más
radiantes, más trémulas, más
radiantes, más trémulas, más
radiantes radiantes, más trémulas trémulas, ¡más!

. . . ¡Oh jarcias
al sol!
¡Salvaje, salvaje rumor!

XLVI

CIRCO

Oblaciones.
Las encarrujadas toses
– rudimentos –
se maquillan de cosquillas:
sanantonios paralíticos.
Se divierten los redaños
de los falsos tafanarios.
Las putillas
se persignan. Las butacas
represalian.
Loros ciegos en trapecios
o camillas.
Un león
charla y gime. (Trovador.)
Vellocinos.
En la ausente galería
tosen,
tosen de alegría.

XLVII

SOSIEGO

(V icisitud . . .) Seduciré la tinta.
Cangilones, colmaos.

Castalia de arrabales
y gatos vespertinos
– bifrontes mayordomos –
perdidos en conventos
de matorral, inmóviles
resquicios que desechan
las plantas del viajero.

Las verjas, los ataires,
las macetas hondísimas,
los jardines de miedo
– invisibles geranios,
glorietas, lontananza –,
se yerguen hacia el suelo,
de tregua codiciosos.

Cabañas escampadas
– orto de opacidad,
musgo que no fue musgo,
conforme guardabosque,
devaneo de juncos –
arden, ante las proas
de nubes, como báculos.

Desparpados mendigos
en un brasero el día
errabundo calientan.
Afable tahará,
tras las esquinas últimas,
una rueda pregona
labios y travesuras.

Las lomas de argentería
reciben, jalan, acezan.
Averíguanse temprano
el costurero y su dueña:
coser, sufrir y coser.
Desde las ascuas primeras
qué concurrencia de encajes
de guindas en la entretela,
hasta que el hilo alborota
ocre en la tarde resuelta:
fontanal, a medio patio,
de la celeste manguera.
Cetrino, el dedal durante
las composturas. La mesa
recibe, jala, desfloca,
si el acíbar ribetea.
Coser, cantar y coser
hasta escuchar las chancletas
de la noche siempreviva
cascabeleando el alféizar.

L

A una doncella.

Néctar, velamen, lirio,
recóndito retoño bajo el peplo,
un no sé qué de nimbo.

Cimillo, día rubio,
recóndito retoño bajo el peplo,
un no sé qué de humo.

Tornasol, cisne, duna,
recóndito retoño bajo el peplo,
un no sé qué de tumba.

LI

PAÑUELO

Desenmadeja el sueño sus ovillos;
su croché – un escorpión –
se apronta. ¿Grifos? ¿Lascas? ¿Crisantemos?
Chincoles en la pila.
¡Potestades!

La siesta bordonea: lanzadera
de umbría. Un ajimez,
por asir unos tábanos bermejos,
se enreda entre los sirgos.
¿La pila? ¡El escorpión!

LII

DAFNE

1

¿La encadenaban?
Ía que ía.
Ea,
benjuí.
Corvas: esguinces.
«Elástico sol de mis ramas.»
Eó. ¡Opalescente
pubis! ¡Equinoccio
del semen
letal: inmarcesible!

2

«Pinares . . .
Allá en la colina los ágiles
octubres en los ejercicios.
Me amo.
Me entrego a placeres morados.
¡Albur, arrayán, esa risa
de joven racimo!»

3

Ceremonia de libélulas.
Arrepentida jauría.
«Veleidad: mi piel.» Cojín
sobre la escalera de oro.
Cardillo desde la cripta.

LIII

GUADAÑA

«Cuando, de madrugada, corroí los balcones,
Ella batió, con majestad, los bronces.

Cuando, en el mediodía, depuse los dominios,
Ella ocultó, por lástima, los filos.

Cuando, al atardecer, agoté los cimientos,
Ella escarbó, con languidez, los setos.

Cuando hostigué, en la noche – por dónde –, los balcones,
Ella batió, con majestad, los bronces.»

FORTALEZA

LIV

RETROSPECTIVA

Yo, yo, adorado cauce, quédate en tu santuario,
revolotea estático en el beleño armario.

Y en lo que comencé brinca mi despedida.

Porque, antes de partir, mi alma está de viaje,
te reconozco en aras de tu febril plumaje.

Merodeabas el fondo de bizcochos y madre.
Los trastos, exaltándose,
arpas de mansedumbre, se ensañan tenuemente.

Mi colección de súplicas, mi trompo sentencioso,
mi ciclamor titán, mi desgreñado apolo:
calcomanías mías hasta el amanecer.

Me zahiere, moldura, descolorida lengua,
desde la seria caja
de zapatos, la mueca cediza de un horario:
canicas, volantines,
andaderas, sifué.

El emboque, enemigo, dibujaba, fallaba
           – indolentes aldeas –,
arrancaba las hojas de tibios borradores,
           atraía fogones
           de visires y príncipes.

    Mi cuerpo es un celaje que se aleja y no acierta
           a detener la huida.
Llanuras estivales tronzaron la colmena,
           marchándose por siempre.

    Yo, yo, adorado cauce, quédate en tu santuario,
revolotea estático en el beleño armario.

    Y en lo que comencé brinca mi despedida.

    Porque, antes de partir, mi alma está de viaje,
te reconozco en aras de tu febril plumaje.

LV

El huracán pajizo
que mis libros hacinan poco a poco,
me deja pleno.

Reseco cedro merecido
– de altivos rododendros rodeado –
que en mí se mueve.

Desde el tolmo a sus álabes
desciende
savia de cuarzo y jaspe.

Monumento.
Luma reacia, pódalo
con bruñido vilano.

LVI

TWILIGHT

Soler ir por arcanos recodos, timonel
de mallas y barrancos y claustros y atavismos,
acosando el oleaje de sensatos delirios
con la soberanía de lo que no ha de ser.

Como a la esposa esposo vigilante y dormido,
proteger el regazo del ángelus que sufre,
aguardando en portales de ciudades de herrumbre,
noche, tu advenimiento, cual si llegara un hijo.

Aguardarte, sí, noche, con tumultuoso hierro
y templar en el aire el materno alarido
y a la tarde que cae pungirle: «¡Es hijo nuestro!»

Y bebiendo la sangre del lubricán herido,
a ti, negro pomar, celada de senderos,
ofrecerme cual padre con los brazos tendidos.

LVII

La taza de café, la cafetera,
el vapor que mitiga a mi esqueleto,
la obediente sartén, el amuleto
tiznado, la mostaza, la nevera,

el roto lavaplatos, la sopera
pimpante, los melindres del coqueto
jarrón versicolor, el parapeto
de vainilla, azafrán y primavera.

Lugar de integridades: mi albedrío . . .
Oh dichosa cocina: cuando muera
y mi tiempo – sin tiempo – vibre y crezca,

en ronroneo fiel todo lo mío
claro retorne a tu silvestre estera
y tu vapor – sin fin – lo desvanezca.

LVIII

EL SABLE

Quicial: burbujas
de bochorno:
linces
que rezuman
jazmines:
empacho: purgatorio:
mausoleo
sobre el ducado de mi terciopelo.

LIX

ÍCARO

¡Espaldas,
asediadme!

LX

SOLERA

Nervadura, collado y madriguera:
por el fervor con que el grano te espera,
cuánto envidiar, prosternado, solera,
tu rumorosa piedra centinela:
    coraza, eres la cara
    de toda la pradera.

Cuando me allego hasta tu pulpa indómita
me trasmina el caudal de tus entrañas
y me siento moler como los trigos
    – dureza en tu victoria –
y, confundido con tu vehemencia,
oh celda viva, madre de los trigos,
me siento celda y cielo y trigo y piedra.

LXI

LA DESCONOCIDA

Preservo las venturas del sitial de tu enigma,
beata inolvidable, mullidora de afrentas.
Establo. Tus escombros – magnolias que sublevas –
aplacan la raíz con que estrechas, bendita
reyerta deslazada, mis robles: tus rehenes.
Urna de la blasfemia de perezosas sierpes,
te comprendo: amazona de las blancas sortijas.

Tú: sunción: yo. Burdel. La iniquidad convida.
Para asperjar tus llaves, tu falda, tu evangelio,
te ensalzo, te acumulo, te idolatro, te muero.
Mi costra de pavor, en sus aparcerías,
defiende su alimaña cuando en mí te lujurias.
Ova: derramarás mis pátinas abruptas.
Galaxia valerosa: fermentarás mis islas.

LXII

SCHABAT

Con los ojos sellados, vesperal,
ante los candelabros relucientes
de sábado, mi madre. La penumbra
lisonjea sus cuerdas. Desfallece

la hora entre las velas encendidas.
Los muertos se sacuden – fiebre –: huestes
de fiesta, sin piedad, cual candelabros,
peregrinan espejos. Desde el viernes,

avara, la agonía. En los cristales,
atolondrado de fragor, el sol,
filacteria de adiós, cree soñar.

La casa es un sollozo. El horizonte
cruza la casa: rostro del crepúsculo
ido entre lo jamás y lo jamás.

LXIII

SAZÓN

Níspero. ¡Quién!

*
*   *

Intrusos.

*
*   *

Trasnochamos.

LXIV

ARCOVUELO

El alcahaz abrí con torbellino
vulnerable y triunfal.

Dioses de Dios, los frisos
cernieron el satélite
gorjeo de mis sienes.

¡Salad el cielo, cielos retenidos!
. . . Oh piscina inmortal.

LXV

Que no enturbie tus veredas
el barro de mis pisadas,
Echaurren, derrocadero,
Echaurren, calle escarlata.

Entre las uñas del sol,
a lo verde nunca alcanza,
crepitante, lacerado,
tu arcedal, como mi alma,
Echaurren, calle difunta,
Echaurren, calle sonámbula.

Con los iris en las manos
en vano te ofrendo gajos
lacres de hidromiel de esperma
y ácidos azucarados.

Desde la entraña del hijo:
«Padre, ¿por qué andas descalzo?»
Desde la ausencia del padre:
«Hijo, es tarde, apura el paso.»
Y te clama mi tortura
y me persigues clamando.

Echaurren, donde nací,
no te conocen las ramas:
a lo verde nunca alcanza
el barro de mis pisadas,
a lo verde nunca alcanza
el barro de mis pisadas.

LXVI

Puma de luz: me he sumergido
en el cuarto de Sara,
hurgando una quimera de pudores y almizcles
en las gavetas donde ya no hay nada:
embriaguez de baldosa con lluvia,
de retratos o broches o acacias.

He estregado un montón de polvo
en los presidios de mi cara:
matza flagrante, sonora gamuza,
crinolinas de porcelana,
tropel de muñecas y valses
y abanicos y chapas.

Tras mascar el ropero vacío,
rasguñando el rincón de la lámpara,
he lamido tapiz y paredes:
sequedal hacia esponjas de hazaña:
con el jaral bullir de las polillas
un destello de cinta se enmañana.

El yeso me ha otorgado sus bodegas:
he ajordado, vicioso, por la rambla
de la victrola desaparecida:
por su cardumen de pizarra cálida:
tobogán de cerezas
para arribar al nácar de la infancia.

Arderme, persistirme,
hasta brotarme palmas en las palmas:
frenesí de fronteras,
tan remoto, en volandas,
tan mendigo, tan dentro
me buscaba y jadeaba y buscaba
el olor sin color, sin aroma,
de ciertas lágrimas.

LXVII

LA VETUSTA COPLA

Voy recordando recuerdos,
vistiendo ruinas de ruinas.

Asueto de maniquíes
con ternura de ceniza:

un cantizal por estirpe
y una aladica por hija.

Ristra de ruinas de ruinas,
doblado – milpas enjutas –:
«Lagartija, lagartija»
– consejas entre la bruma –,
«no te comas a mi hija.»

Voy recordando recuerdos.
Más doblado: a la caída.

Pábilos que no accedieron
sisan recuerdos en ruinas.

Voy recordando recuerdos
en el erial de la Íntima.

LXVIII

CAPULLO

Tilos y álamos sueñan setiembre, humillados,
grises: murmuran verdor. ¿Soy aquella corriente
frágil de ahínco? El camino – extravío doliente –
quiere rielar – luna enorme – en los charcos morados.

Gira el nidal de garúa y susurro y engaño.
Cómo se cubre, sumisa, de escarcha la fuente.
¿Dique? ¿Acirate? Despliega la luz, lentamente,
huésped sin rumbo, vergeles ajados de párpados.

Sombra: me oprimo a los tilos y álamos yertos.
Manto vernal: me recuesto en los charcos morados.
En lazulitas de agua descanso mi frente.

Bajo mi pecho, que ampara los tréboles muertos,
mientras me sueñan los tilos y álamos, blancos,
cómo me riela, jovial, el camino doliente.

HOMENAJE A DEBUSSY

LXIX

En un cofre he traído sus calcinados huesos:
calentará mis días su fragancia lejana;
esparciré su harina sobre mi frío lecho:
será extender en mí su cabellera amada.

Calentará mis días su fragancia lejana,
y el sol, amarillento, brillará un poco más:
será extender en mí su cabellera amada:
podré hundirme en el sueño, como el tiempo en el mar.

Allá, lino en el lino,
lino:
«Tócame, clepsidra:
hierba de la brisa,
la flor de mi vientre: glaucas alquerías.»

Y el sol, amarillento, brillará un poco más
en los hondos espejos en que ya no me miro:
hundiéndome en el sueño, como el tiempo en el mar,
apretaré en la almohada oros desvanecidos.

En los hondos espejos en que ya no me miro
descubriré su rostro, su fragancia lejana,
y apretaré en la almohada oros desvanecidos:
será extender en mí su cabellera amada.

Allá, lino en el lino,
lino:
«Polen de los mundos:
corajes hirsutos,
la flor de mi aljibe: pétalos de humo.»

Descubriré su rostro, su fragancia lejana,
en el cofre que aduerme sus calcinados huesos:
será extender en mí su cabellera amada:
esparciré su harina sobre mi frío lecho.

Conmigo, perdurables, sus calcinados huesos
mazorcarán monásticos oros desvanecidos:
cuando su harina reine sobre mi frío lecho
podré ser un espejo de reflejo amarillo.

Allá, lino en el lino,
lino:
«Me pierdo en los campos:
tocas hierba viva: ricial de calvarios,
la flor de los mundos: me pierdo en los campos.»

Oros desvanecidos apretaré en la almohada:
calentará mis días su fragancia lejana:
será extender en mí su cabellera amada,
¡será extender en mí su cabellera amada!

Allá, lino en el lino,
lino:
sus calcinados huesos en un cofre he traído:
esparciré su harina sobre mi lecho frío
y apretaré en la almohada oros desvanecidos
y seré un hondo espejo de reflejo amarillo.

EN LAS LAVAS SENSUALES

LXX

MADRIGAL

Te dije: «Bálsamo del multiverso.»
Te dije: «Enselva y sacia tus espigas.»
Te dije: «Breña y litoral y cítara.»
Con mi silencio te diré: «Rodemos.»

LXXI

RAPTO

¡Víaláctea!

LXXII

PLEAMAR

El útero: lustral. Y nuestras venas:
subiendo por las cuestas de la tierra.

Zarcas axilas que titila el tacto.
Filtros – terror – maznados, flagelados.

Mis palmas, como bocas, en tu pecho,
rastreando el hijo pródigo del beso.

En el momento en que mi carne aspira
tu misterio copioso, te pregunto
por el follaje de mi rebeldía.
Me responde el anillo de tus muslos
con abras de arrecifes y campiñas.

Un grito de rompiente, una columna,
cuando los goces son escaldadura.

Inflámase por ver nuestro regosto
la colina inundada de nosotros.

Con la suprema vid de nuestras llagas
el abismo de Dios se sobresalta.

LXXIII

EUCARISTÍA

Decapitando maleficios,
me impugno, grávido vaivén,
y te poseo. ¿Plañirás
caldo icoroso y banderilla
para cisura de aseidad?

¡No! Que el arrullo te vendimie.
Nardos seamos para él.
Flúyemeló por los deleites:
que nos consuele y atribule
con el molusco de sus vértices.

Por limosna líbrameló:
paladea su avilantez:
vana tenaza que forjamos
en el madero, a borbotones,
de nuestro amor amoratado.

Cuando, encovándose, nos salve,
lo oscuro asestará la red.
Pues si él, gallardo, se conmueve,
chapoteará en nuestras salmueras,
dándonos vida en esta muerte.

LXXIV

Calor azul: crisoles.
Dónde mi poderío.
Sólo roces.

Nieve azul, en mis dedos
atizas los jacintos
de tu fecundidad de contingencia.

Ensimismado reverbero. Cetro.
Látigo de diamantes
con que vengarme de mi juventud.

Bastidor de dulcísimas panteras.
Mis privilegios: ánforas de carne.
Salmos: mis dedos: hiedras en lo azul.

LXXV

ITRIO

Trepaba y destrepaba las frazadas,
columpio gavilán, mi tentativa.
Cordilleras de sima persuasiva,
las crenchas, implacables, zozobradas,

génesis fiero de aniquilamientos,
cebaron grupas, rebosando ocasos,
sin conceder la virgen. Con sus rasos
el tatuaje de escarnios y tormentos

vertió ceniza sobre la centella.
Oh jardín de los dédalos convulsos:
en tus arriates lapidé la muerte.

La lluvia – fugitiva – me hizo fuerte,
el caos – carmesí – cundió en mis pulsos,
y la mujer vibró como una estrella.

LXXVI

TEDÉUM

Noche de día.
El raudal de mi muchacho
no tiene orillas.

LXXVII

En las lavas sensuales busco siempre el regreso
a los cielos profundos del río maternal.
Promontorio de cuervos, andábata leal,
volver anhelo al vientre por oasis de hueso.

LXXVIII

Mansión, Gracia, Verano: deseo tu deseo:
se rinde en tu cintura: se estremece en tu aliento:
un panal jubiloso te besa entre los senos:
un pabellón de astucias se empecina en tu cuello:
una lucha de umbelas: un confín venidero.
¡Es la separación cada vez que te envuelvo!
Me rindo en tu cintura: tu deseo allá lejos.
Me estremezco en tu aliento: tu deseo allá lejos.
Te beso entre los senos: tu deseo allá lejos.
Me empecino en tu cuello: tu deseo allá lejos.
¡No es bastante tu cuerpo! ¡No es bastante tu cuerpo!

LXXIX

Hacia ti mis alazanes
    afanosos.
Pericia de mi sigilo,
serenidades estorbo.

Nadas, te ahogas en mí,
océano de tu insomnio.
Sin refrenarme espiral,
ni atrición, de sudor, soplo

la gratitud del anzuelo
    con mi antojo,
y en la tierra en que me postro
    soy tu rostro.

Para medir tu arrogancia
culpo señales en todo.
    Con tu himen
mis aparejos cercioro:

contra mundos querellados
    sobran pozos:
tu marfil, tu dulce ombligo
    que deshonro.

Disipo el Amante Grande,
no dudo y no te desoigo:
tus águilas me culminan,
más tuyas si te devoro.

PASIÓN

LXXX

La tierra invoca al cuerpo.
Agua de tierra y sal de tierra me penetran.
Magulladura, el árbol de la luz
da sombra. En la vorágine
los cielos piden alas a la tierra.
La cubierta del odio
consagra surtidor. Crea la tierra
alas:
crea tierra.

Más luz se precipita:
sus diademas nebulan por los mares:
y es la tierra de tierra,
y es el éter de tierra.
Desvelo mis raíces
con mi canto de tierra alborozada.

Y en el último abrojo
del arroyo de tierra,
en la última órbita
de jornada de tierra,
en la pugnaz resaca
de traidora cabeza,
cruje la tierra toda
su semental de tierra.

Coral aguja matutina, pistilo de amplitud,
joyel
proclive,
cumbre
sobre la cumbre, muere, muñón de tierra, el aire.
Vedada epifanía hacia los cielos,
mueren mis brazos.
Muero.
Desde los ejes, infinitamente,
tierra y alma, en la luz, se precipitan.

Se precipita el llanto.
La tierra se endereza: la hornagueo.
Y los bramidos de la tierra, sangre.

Abajo, aquí, la tierra;
arriba, aquí, su canto.
El llanto, cavidad
y cavidad, refluye,
se avellana,
y su canto: mi canto.

Hay que dormir el sueño de la tierra.
Hay que dormir.
Dormir.
Apresar la cascada.
Y en la sola mejilla de la tierra
apoyar las mejillas,
navegando a la paz.

Hálito oscuro, el tiempo irá al remanso:
«¿Grumo de tierra, el sueño?»
Las preñeces
del himno, por espolios.

No sabré si decir
«Quiero» o callar.
                    No ha de cesar el tiempo
su pasión.
          No sabré
si hueso o tierra lo que roza el sueño.

ÍNDICE

CONTINUO ÉXTASIS

IMPROMPTU

SARCASMO

RECREOS

ASFÓDELO

SADISMO

ESTAMPAS

FORTALEZA

HOMENAJE A DEBUSSY

EN LAS LAVAS SENSUALES

PASIÓN

ESTE LIBRO HA SIDO POSIBLE POR EL TRABAJO DE

COMITÉ EDITORIAL Silvia Aguilera, Mario Garcés, Luis Alberto Mansilla, Tomás Moulian, Naín Nómez, Jorge Guzmán, Julio Pinto, Paulo Slachevsky, Hernán Soto, José Leandro Urbina, Verónica Zondek, Ximena Valdés, Santiago Santa Cruz **PRODUCCIÓN EDITORIAL** Guillermo Bustamante **PROYECTOS** Ignacio Aguilera **DISEÑO Y DIAGRAMACIÓN EDITORIAL** Leonardo Flores **CORRECCIÓN DE PRUEBAS** Raúl Cáceres **DISTRIBUCIÓN** Nikos Matsiordas **COMUNIDAD DE LECTORES** Francisco Miranda, Marcelo Reyes **VENTAS** Elba Blamey, Luis Fre, Marcelo Melo, Olga Herrera **BODEGA** Francisco Cerda, Pedro Morales, Carlos Villarroel **LIBRERÍAS** Nora Carreño, Ernesto Córdova **COMERCIAL GRÁFICA LOM** Juan Aguilera, Danilo Ramírez, Inés Altamirano, Eduardo Yáñez **SERVICIO AL CLIENTE** Elizardo Aguilera, José Lizana, Ingrid Rivas **DISEÑO Y DIAGRAMACIÓN COMPUTACIONAL** Nacor Quiñones, Luis Ugalde, Jessica Ibaceta **SECRETARIA COMERCIAL** Elioska Molina **PRODUCCIÓN IMPRENTA** Carlos Aguilera, Gabriel Muñoz **SECRETARIA IMPRENTA** Jasmín Alfaro **IMPRESIÓN DIGITAL** William Tobar **IMPRESIÓN OFFSET** Rodrigo Véliz **ENCUADERNACIÓN** Ana Escudero, Andrés Rivera, Edith Zapata, Pedro Villagra, Eduardo Tobar **DESPACHO** Matías Sepúlveda **MANTENCIÓN** Jaime Arel **ADMINISTRACIÓN** Mirtha Ávila, Alejandra Bustos, Andrea Veas, César Delgado.

LOM EDICIONES